Eachtra
Mhór Lúidín
MARTIN WADDELL
a scríobh
JOHN LAWRENCE
a mhaisigh
SEOSAMH Ó MURCHÚ
a rinne an leagan Gaeilge

Léim dhá luichín amach as
an tigín a bhí acu sa scioból.
'Ba mhaith liom dul go dtí gort
an arbhair,' arsa Lúidín.
'Tabharfaidh mise ann thú,'
arsa a dheirfiúr, Lúsaí.
Ní raibh Lúidín i ngort
an arbhair riamh.

Siúd an dá luichín ag rith tríd
an bhféar fada in aice leis an sruthán.
Suas leo ansin ar an seanchrann darach.

Siúd leo ag rince trasna an gheata.

Síos leo ansin agus . . .

Bhí siad i ngort an arbhair.

Chuaigh siad ag dreapadh láithreach agus d'imir siad 'beir-orm-más-féidir-leat'. Ansin . . .

'Cad é sin, a Lúsaí?' arsa Lúidín de chogar.
'Cat, an ea?'

‘Ní hea,’ arsa Lúsaí.

‘An bhfuil tú cinnte?’ arsa Lúidín.

‘Coinín atá ann,’ arsa Lúsaí.

‘Tá siad feicthe agam cheana.’

‘baint an arbhair’. Rinne Lúidín iarracht ar roth stiúrtha an tarracóra a chasadh ach bhí sé rómhór do luichín bheag mar é. Ansin . . .

'Cad é sin, a Lúsaí?'
a d'fhiafraigh Lúidín.
'Ulchabhán, an ea?'
'Piasún atá ann,' arsa Lúsaí.
'San oíche amháin a thagann
an t-ulchabhán amach.'

Thosaigh siad ag súgradh arís.
Theastaigh ó Lúidín folach bíog a imirt.
Chuaigh sé i bhfolach san arbhar.

D'fhan Lúidín tamall fada i bhfolach. Ach bhí sé tar éis dul rófhada agus theip ar Lúsaí teacht air.

B'fhearr dom dul ar ais, ar seisean leis féin.

Ar ais le Lúidín tríd an ngort i dtreo Lúsaí ach . . .

'Cén rud é
sin?' arsa
Lúidín agus é
ar crith.

'Cén rud é
sin?' arsa
Lúidín agus é
ar ballchrith.

'Cén rud é sin?'
arsa Lúidín
agus crith cos is
lámh air.
'LÚSAÍ!'
a bhéic sé.

Agus tháinig
Lúsaí.

'Buíochas le Dia,
tá tú agam!' arsa
Lúsaí.
'Cad iad na rudaí
scanrúla sin, a
Lúsaí?' arsa
Lúidín go faiteach.

'Sin seilide,' a mhínigh Lúsaí dó. 'Féach ar an tigín deas ar a dhroim.'

'Sin damhán alla,' arsa Lúsaí. 'Féach ar an ngrian ag soilsiú ar a líon.'

'Sin seanbhróg!' arsa Lúsaí.
'Beidh an-spraoi anois againn!'

D'imir siad 'tigín-sa-bhróg' agus a lán cluichí eile. Bhí an-spórt acu an lá ar fad.

Agus an ghrian ag dul faoi rith an dá luichín abhaile go sásta.

'B'in eachtra mhór againn,' arsa Lúidín.
'Ba bhreá liom é sin a dhéanamh arís,
a Lúsaí.' Agus rinne.